Minhas Primeiras 1000 Palavras em Espanhol

ÍNDICE índice

MEU CORPO..05
CARACTERÍSTICAS..06
MINHA FAMÍLIA..08
MINHA CASA...10
MEU QUARTO / DORMITÓRIO..12
A SALA DE ESTAR..13
O BANHEIRO...14
A COZINHA..15
O QUINTAL...16
FESTA DE ANIVERSÁRIO..17
NA CIDADE..18
NA ESCOLA...20
NO SUPERMERCADO..22
NO RESTAURANTE..24
NA FAZENDA...25
VAMOS VIAJAR...26
ROUPAS E ACESSÓRIOS..28
PROFISSÕES..30
AÇÕES...32
ESPORTES..34
CONTOS INFANTIS..36
ANIMAIS...38

ÍNDICE *índice*

ESTAÇÕES DO ANO... 40
PERÍODOS DO TEMPO... 40
CONDIÇÕES DO TEMPO... 41
O TEMPO... 42
DIREÇÕES / A LUA E SUAS FASES / OS SIGNOS DO ZODÍACO..... 43
O UNIVERSO... 44
CONTINENTES, PAÍSES E POLOS... 46
NACIONALIDADES.. 48
DATAS IMPORTANTES.. 50
MATERIAIS DE ARTE... 52
FORMAS GEOMÉTRICAS / SÍMBOLOS MATEMÁTICOS................ 53
MÚSICA... 54
EXPRESSÕES PARA SABER DE COR.. 55
PRONOMES PESSOAIS E VERBO SER / ESTAR............................ 56
PRONOMES DEMONSTRATIVOS.. 57
PRONOMES POSSESSIVOS.. 58
OS ARTIGOS... 59
FORMA INTERROGATIVA.. 60
ALGUMAS PALAVRAS INTERROGATIVAS..................................... 61
NUMERAIS.. 62
PERGUNTANDO AS HORAS... 63
VAMOS CANTAR!.. 64

TRES 3

GUIA DE PRONÚNCIA PARA O EDUCADOR

O alfabeto espanhol tem 27 letras. As letras do alfabeto são femininas.

AS CONSOANTES

1. O **B** e o **V**: para pronunciar essas letras, os lábios ficam fechados, como o **b** em português. Exemplos:

ESPANHOL	SOM EM PORTUGUÊS
turbina	turbina
verde	berde
viento	biento

2. O **C**:

   a) Em algumas regiões da Espanha, a letra **C** tem som interdental antes de **e / i** (como "then", em inglês), mas a maioria dos falantes de espanhol a pronunciam como em português. Exemplos: cebolla, hacer, cinco, cien.

   b) A letra **C** tem som de **k** antes das vogais **a / o / u**, como em português. Exemplos: casa, coche, cuarto.

3. A grafia **CH** tem o mesmo som que na interjeição "Chê!" do gaúcho (Rio Grande do Sul). Exemplos:

ESPANHOL	SOM EM PORTUGUÊS
chumbo	tchumbo
muchacho	mutchatcho
mucho	mutcho
techo	tetcho

4. O **D**: se pronuncia quase sempre como em português; ao final da palavra, deve ser pronunciado suavemente, quase mudo. Exemplos:

ESPANHOL	SOM EM PORTUGUÊS
día	dia (e não djia!)
pared	pared (e não paredji!)

5. O **G**:

   a) Antes de **a / o / u**, pronuncia-se como em português. Exemplos: gato, gota, guante.

   b) Antes de **e / i** tem som forte, como o h na palavra he em inglês. Exemplos: gente, gigante.

6. O **H**: não tem som. Exemplos:

ESPANHOL	SOM EM PORTUGUÊS
Alhambra	Alambra
hombre	ombre
húmedo	úmedo

7. O **J**: sempre tem som forte como o **h** na palavra "he" em inglês. Exemplos: jamás, garaje, juventud.

8. O **L**: ao início e no meio da palavra, pronuncia-se como em português; ao final de sílaba, é necessário ter cuidado para não pronunciá-lo como a letra **u** em português. Exemplos:

ESPANHOL	SOM EM PORTUGUÊS
silueta	silueta
lavar	labar
mal	mal (e não mau!)
maldad	maldad (e não maudad!)

9. Para pronunciar a grafia **LL**, eleva-se a ponta da língua aos dentes da frente de baixo, e a parte de trás da língua se eleva ao céu da boca. Exemplos:

ESPANHOL	SOM EM PORTUGUÊS
calle	calhe, caye ou cadje
gallina	galhina, gayina ou gadjina
llave	lhabe, yabe ou djabe

   NOTAS:

   A grafia **LL** com som de **LH** português é utilizada no norte da Espanha.

   A grafia **LL** com som de **Y** (o **J** do português) é utilizada em Madri, no sul da Espanha, nas Ilhas Canárias e na América em geral.

   A grafia **LL** com som de **DJ** português se usa em alguns núcleos argentinos, uruguaios e paraguaios.

   O **CH** e o **LL** deixam de ser letras e passam a ser unidades fonológicas (medida aprovada no X Congreso de Academias Hispanas de Lenguas em Madrid em 28/4/1994).

10. O **Ñ**: tem som como **NH** em português. Exemplos: año, caña, español, niño.

11. O **R / Rr**:

    Quando se pronuncia entre vogais, é suave (como em português). Exemplos: cara, cariño.

    NOTAS

    a) Quando se articula ao início de palavras, é forte e vibrante. Exemplos: ratón, rico, rio, rey.

    b) Quando é duplo (rr) também é forte e vibrante. Exemplos: perro, burro, carril.

12. O **S:** tem som como o **ss** do português. Exemplos:

ESPANHOL	SOM EM PORTUGUÊS
blusa, casa	blussa, cassa

13. O **T:** pronuncia-se quase sempre como em português. Exemplos:

ESPANHOL	SOM EM PORTUGUÊS
tía	tia (e não tchia!)
tiempo	tiempo (e não tchiempo!)

14. O **X**:

    a) Antes do **h** ou entre vogais, corresponde ao som do **ks** (como o **x** da palavra portuguesa "táxi"). Exemplos: exausto, exhibir, táxi, examen.

    b) Quando não vai em seguida de vogal ou de **h**, tem o mesmo som que em português. Exemplos: explicar, expresar, expulsar.

15. O **Y**:

    a) Quando vai sozinho ao final da palavra, tem o mesmo som que **a i** portuguesa. Exemplos: ley, rey, hoy, Juan y Pedro.

    b) Quando vai entre vogais ou seguida de vogal, tem som de **y**. Exemplos: leyes, reyes, yo, yerno.

    NOTAS

    Na Argentina, no Uruguai e no Paraguai, a letra **y** tem o mesmo som de **dj** em português quando vai entre vogais ou seguida de vogal.

    Exemplos: leyes (ledjes), reyes (redjes), yo (djo), yerno (djerno).

16. O **Z**: tem som interdental, porém a maioria dos falantes de espanhol pronunciam essa letra como o **ss** de português. Exemplos: zapatos, cabeza, corazón, azúcar.

AS VOGAIS

Em espanhol, existem cinco sons vocálicos: **a, e, i, o, u**.

São consideradas vogais fortes: **a, e, o**.

São consideradas vogais fracas: **i, u**.

Vogais fortes

1. **A:** o som é sempre aberto, inclusive entre consoantes nasais. Exemplos: naranja, España, antes, lata, carta.

2. **E:** o som é sempre fechado, inclusive quanto tem acento (´). Exemplos: francés, café, médico, leche, queso.

3. **O:** o som é sempre fechado, inclusive quanto tem acento (´). Exemplos: corazón, hombre, reloj, poeta, históricos, Verónica.

Vogais fracas

1. **I:** o som é igual em espanhol e em português. Exemplos: historia, cine, televisión, día.

2. **U:** o som é igual em espanhol e em português. Exemplos: música, lucha, tú, luna, mundo.

MI CUERPO meu corpo

NIÑO - menino

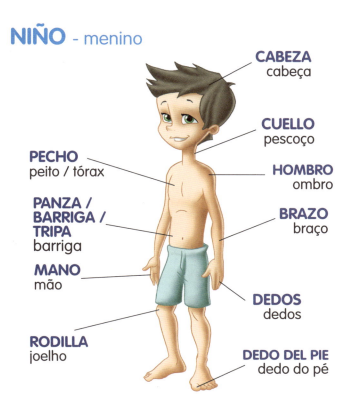
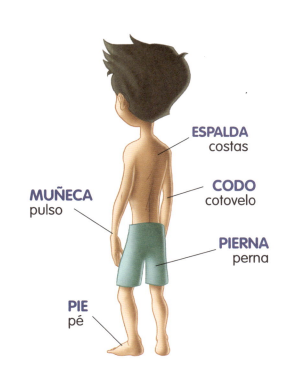

- **CABEZA** cabeça
- **CUELLO** pescoço
- **HOMBRO** ombro
- **BRAZO** braço
- **DEDOS** dedos
- **DEDO DEL PIE** dedo do pé
- **PECHO** peito / tórax
- **PANZA / BARRIGA / TRIPA** barriga
- **MANO** mão
- **RODILLA** joelho
- **ESPALDA** costas
- **CODO** cotovelo
- **PIERNA** perna
- **MUÑECA** pulso
- **PIE** pé

MI CARA / MI ROSTRO
meu rosto

NIÑA - menina

- **PELO / CABELLO** cabelo
- **OREJA** orelha
- **MEJILLA** bochecha
- **MENTÓN** queixo
- **LENGUA** língua
- **FRENTE** testa
- **CEJA** sobrancelha
- **OJO** olho
- **NARIZ** nariz
- **BOCA** boca
- **LABIOS** lábios
- **DIENTES** dentes

SENTIMIENTOS / EMOCIONES
sentimentos / emoções

- **ASUSTADO** assustado(a) / com medo
- **FELIZ** alegre / feliz
- **TRISTE** triste
- **ABURRIDO** entediado(a)
- **ENOJADO** zangado(a)

CINCO 5

CARACTERÍSTICAS características

APARIENCIA aparência

OTRAS
outras

BONITO
bonito(a)

FEO
feio(a)

ALTO
alto(a)

BAJO
baixo(a)

GORDO
gordo(a)

DELGADO
magro(a)

PELO MEDIANO
cabelo médio

PELO CORTO
cabelo curto

PELO LISO
cabelo liso

OTRAS
outras

OJOS CASTAÑOS
olhos castanhos

OJOS AZULES
olhos azuis

OJOS VERDES
olhos verdes

PELO RUBIO
cabelo louro

PELO CASTAÑO
cabelo castanho

PELIRROJO
cabelo ruivo

PELO CRESPO
cabelo encaracolado

PELO LARGO
cabelo comprido

PELO RIZADO
cabelo ondulado

PIEL NEGRA
pele negra

PIEL AMARILLA
pele amarela

PIEL ROJA
pele vermelha

PIEL BLANCA
pele branca

6 SEIS

CARACTERÍSTICAS características

PERSONALIDADES Y EMOCIONES
personalidade e emoções

QUIETO
quieto(a)

EDUCADO
educado(a)

MAL-EDUCADO
mal-educado(a)

INTELIGENTE
inteligente

DISTRAIDO
distraído(a)

ALEGRE
alegre / feliz

TRISTE
triste

CALMO / TRANQUILO
calmo(a)

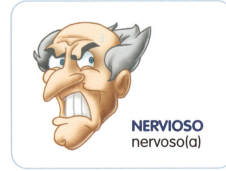
NERVIOSO
nervoso(a)

JUGUETÓN
brincalhão / brincalhona / divertido(a)

TÍMIDO
tímido(a)

TRABAJADOR
pessoa trabalhadora

PEREZOSO
preguiçoso(a)

HABLADOR
tagarela / falador(a)

SIETE 7

MI FAMILIA minha família

PADRE / PAPÁ
pai

MADRE / MAMÁ
mãe

HIJO
filho

HIJA
filha

PADRE + MADRE = PADRES / PAPÁS
pai + mãe = pais

HIJO + HIJA = NIÑOS
filho + filha = crianças

NIÑO - menino
NIÑA - menina

HERMANO - irmão
HERMANA - irmã

SOBRINO - sobrinho
SOBRINA - sobrinha
PARIENTES - parentes

ABUELO + ABUELA = ABUELOS
avô + avó = avós

NIETO - neto
NIETA - neta

NIETO + NIETA = NIETOS
neto + neta = netos

TÍO ti
TÍA tia
PRIMO primo(a)

ABUELO avô
ABUELA avó

8 OCHO

MI FAMILIA minha família

ESPOSA
esposa

MARIDO
marido

PADRASTRO - padrasto
MADRASTRA - madrasta

BEBÉ
bebê

AMIGO(S)
amigo(s) / amiga(s)

HOMBRE **MUJER**
homem   mulher

PERSONA + PERSONA = PERSONAS
pessoa + pessoa = pessoas

NUEVE **9**

MI CASA minha casa

EL SALÓN / EL LIVING a sala de estar

TRECE **13**

LA COCINA a cozinha

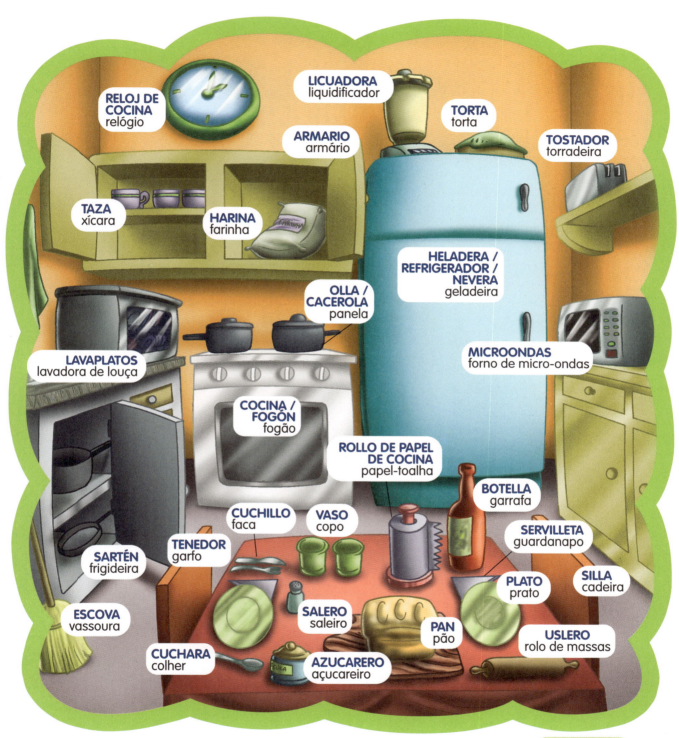

COMIDAS
refeições

EL DESAYUNO
café da manhã

LA MERIENDA
lanche

EL ALMUERZO
almoço

LA CENA
jantar

ACCIONES
ações

TOMAR/BEBER - beber
COMER - comer

QUINCE **15**

EL PATIO o quintal

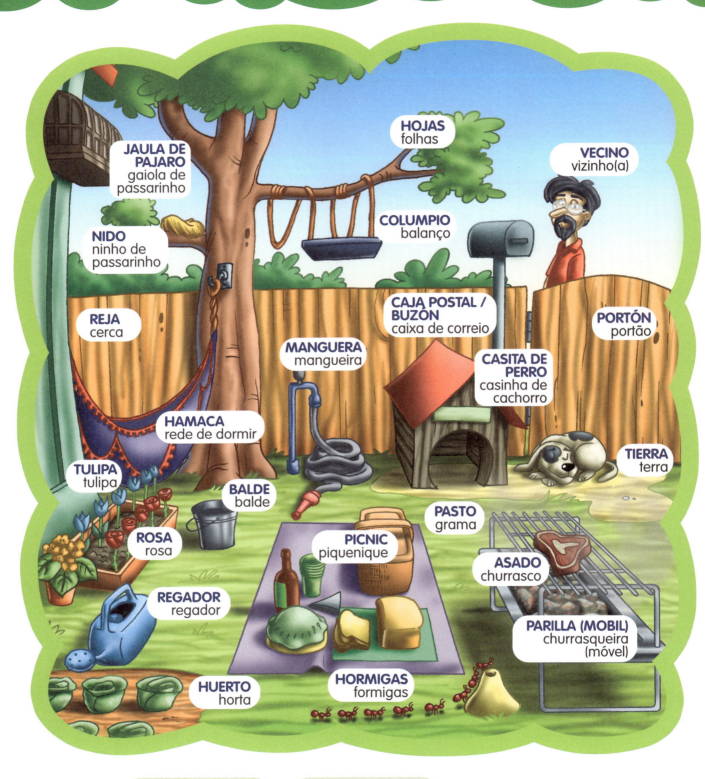

FIESTA DE CUMPLEAÑOS festa de aniversário

ACCIONES ações
- **ABRIR (EL REGALO)** abrir (o presente)
- **BAILAR** dançar
- **CANTAR** cantar
- **CORTAR (LA TORTA)** cortar (o bolo)
- **CELEBRAR** celebrar
- **SOPLAR** assoprar
- **BRINDAR** brindar

DIECISIETE 17

EN LA CIUDAD na cidade

ACCIONES
ações

- **CAMINAR** / caminhar
- **DETENERSE / PARAR** / parar
- **ANDAR / AVANZAR / MARCHAR** / avançar / ir / prosseguir
- **MANEJAR / CONDUCIR** / dirigir
- **CRUZAR LA CALLE** / atravessar a rua
- **DOBLAR / GIRAR (LA ESQUINA)** / dobrar a esquina

DIECINUEVE 19

EN LA ESCUELA na escola

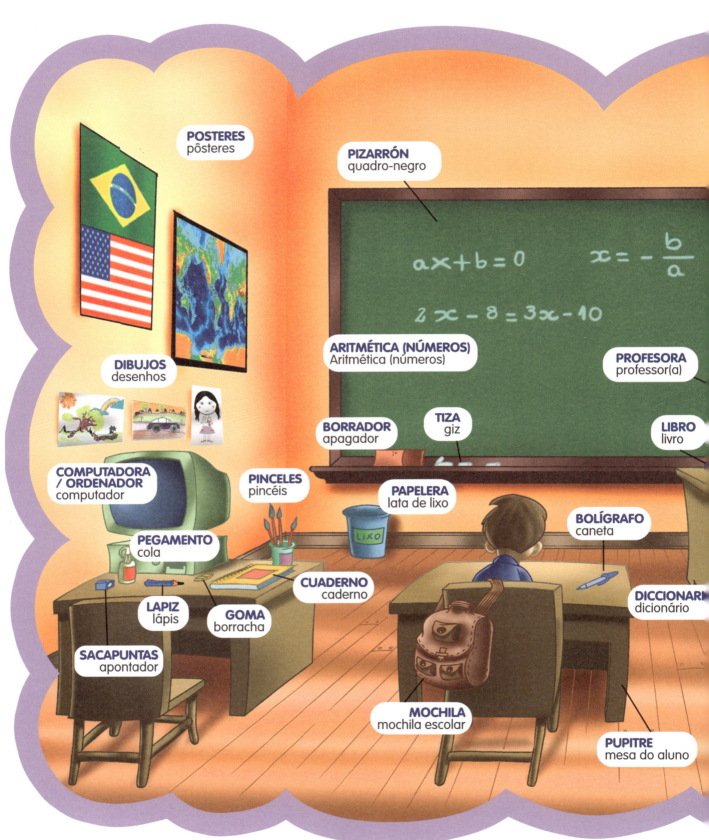

20 VEINTE

EN LA SALA DE CLASES
na sala de aula

- **MAPA** — mapa
- **REGLA** — régua
- **GLOBO TERRÁQUEO** — globo
- **GRAPEADORA** — grampeador
- **MESA DE PROFESOR** — mesa do(a) professor(a)
- **CALCULADORA** — calculadora
- **ESTANTERÍA** — estante ou armário para livros
- **TIJERA** — tesoura
- **ESTUDIANTE** — aluno(a)

ACCIONES
ações

CONTAR – contar

ESCRIBIR – escrever

LEER – ler

DIBUJAR – desenhar

ESTUDIAR – estudar

VEINTEUNO 21

EN EL SUPERMERCADO no supermercado

ALIMENTOS
alimentos

- **CEREZA** cereja
- **DURAZNO** pêssego
- **MIEL** mel
- **MAÍZ** milho
- **GALLETAS** biscoito
- **CEREALES** cereais
- **LECHE** leite
- **ARROZ** arroz
- **VINO** vinho
- **UVA** uva
- **FRIJOLES** feijão
- **AZÚCAR** açúcar
- **PERA** pera
- **ESCAPARATE** estante de comida
- **COLIFLOR** couve-flor

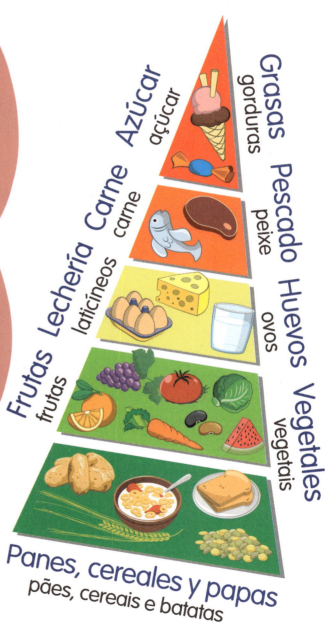

- Grasas — gorduras
- Azúcar — açúcar
- Pescado — peixe
- Carne — carne
- Lechería — laticíneos
- Huevos — ovos
- Frutas — frutas
- Vegetales — vegetais
- Panes, cereales y papas — pães, cereais e batatas

VEINTITRES 23

EN EL RESTAURANTE no restaurante

EN LA ESTANCIA na fazenda

ACCIONES ações

- CABALGAR cavalgar
- ORDEÑAR (LA VACA) ordenhar (a vaca)
- PLANTAR plantar
- PESCAR pescar
- EMPOLLAR (EL HUEVO) chocar (um ovo)
- REGAR / MOJAR regar, molhar

VEINTICINCO 25

VAMOS A VIAJAR! vamos viajar!

PILOTO
piloto

AZAFATA
comissário(a) de bordo

PASAJERO
passageiro(a)

AEROPUERTO
aeroporto

TORRE DE CONTROL
torre de controle

AVIÓN
avião

NAVIO / BUQUE
navio

PISTA
pista de pousos e decolagens

MACÁNICO DE AVIÓN
mecânico de avião

HOTEL
hotel

LOCAL DE OBSERVACIÓN (DE AVIONES)
local de observação (de aviões)

CRUCERO (EN BUQUE / NAVIO)
cruzeiro (uma viagem de navio)

26 VEINTISEIS

VAMOS A VIAJAR!
vamos viajar!

TREN
trem
ESTACIÓN DE TRENES
estação de trem

VIAJE
viagem

BARCO
barco

HELICÓPTERO
helicóptero

MALETA
mala / bagagem

MOCHILA
mochila

SACO DE DORMIR
saco de dormir

HOGATA / HOGUERA
fogueira

HUMO
fumaça

LINTERNA
lanterna

CARPA
barraca

NAVEGAR
navegar

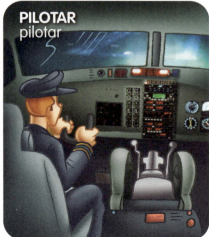
PILOTAR
pilotar

VOLAR
voar

VEINTISIETE **27**

ROPAS Y ACCESORIOS
roupas e acessórios

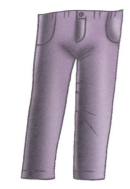
PANTALÓN
calça comprida

BLUE JEANS / VAQUEROS
calças jeans

BLUSA
blusa

SUETER
suéter

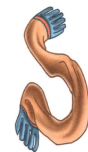
BUFANDA
cachecol

MINI FALDA
minissaia

CALCETINES
meias

CAMISA
camisa

GUANTES
luvas

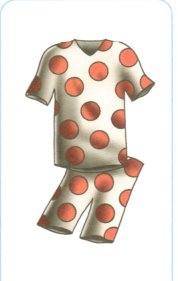
PIJAMA
pijama

VESTIDO
vestido

CORBATA
gravata

CHAQUETÓN
casaco

BOLERO
colete

TERNO
terno / paletó / jaqueta

ROPAS Y ACCESORIOS
roupas e acessórios

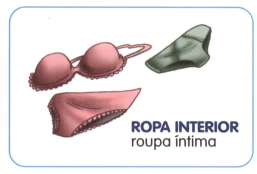
ROPA INTERIOR
roupa íntima

BIQUINI
biquíni

BUZO
roupa de mergulhador

JOYAS
joias

PRENDEDOR
broche

SOMBRERO
chapéu

RELOJ DE PULSERA
relógio de pulso

CARTERA
bolsa

BILLETERA
carteira

ANILLO
anel

BOLSILLO
bolso

CINTURÓN
cinto

ZAPATILLAS DE LEVANTAR
chinelos

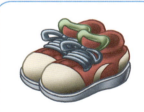
ZAPATILLAS DE GIMNASIA
tênis

ZAPATOS
sapatos

BOTAS
bota

BARATO
barato

CARO
caro

GRATIS
gratuito

PRECIO **DINERO**
preço   dinheiro

VIENTENUEVE 29

PROFESIONES profissões

ESCRITOR
escritor(a)

INGIENIERO
engenheiro(a)

PELUQUERA
cabeleireira(o)

PROFESOR
professor(a)

BASURERO
lixeiro; coletor de lixo

ESTRELLA DE CINE
astro de cinema

FONTANERO
encanador

BIBLIOTECARIA
bibliotecária(o)

ALBAÑIL
pedreiro

DENTISTA
dentista

FOTÓGRAFO
fotógrafo(a)

CARPINTERO
carpinteiro(a)

PINTOR
pintor(a)

POLICÍA
policial

SASTRE
alfaiate

CARTERO
carteiro

PROFESIONES profissões

VENDEDORA vendedora
VENDEDOR vendedor

MENSAJERO / BOTONES entregador

ARQUITECTO arquiteto(a)

MODELO modelo

VETERINARIO veterinário(a)

REPORTERO / PERIODISTA repórter

BAILARINA bailarina(o)

PESCADOR pescador

EMPRESARIO empresário(a)

ASTRONAUTA astronauta

DIBUJANTE / PROYECTISTA desenhista ou projetista

MÉDICO médica(o)

MÚSICO músico

CHEFF DE COCINA chefe de cozinha / cozinheiro(a)

MODISTA / COSTURERA costureira

SECRETARIA secretária(o)

BOMBERO bombeiro

MARINERO marinheiro

TREINTA Y UNO **31**

ACCIONES ações

CORRIENDO
correndo

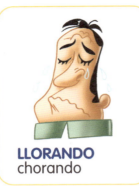
LLORANDO
chorando

COCINANDO
cozinhando

DIGITANDO
digitando

JUGANDO
brincando

COMIENDO
comendo

CAMINANDO
caminhando

COMPRANDO
comprando

CONVERSANDO
conversando

ABRAZANDO
abraçando

BESANDO
beijando

VIENDO TELE
assistindo à TV

MANEJANDO
dirigindo

PINTANDO
pintando

ACCIONES ações

LEYENDO
lendo

CEPILLÁNDOSE LOS DIENTES
escovando os dentes

HABLANDO
falando

ESCRIBIENDO
escrevendo

OYENDO
ouvindo

SONRIENDO
sorrindo

ESTUDIANDO
estudando

PENSANDO
pensando

DURMIENDO
dormindo

SOÑANDO
sonhando

GRITANDO
gritando

YENDO AL CINE
indo ao cinema

ABRIENDO UNA PUERTA
abrindo uma porta

BAÑÁNDOSE / DUCHÁNDOSE
tomando um banho de chuveiro

TRABAJANDO
trabalhando

NADANDO
nadando

TREINTA Y TRES **33**

DEPORTES   esportes

CARRERA
correr

ATLETISMO
atletismo

BALONCESTO / BASQUETBOL
basquete

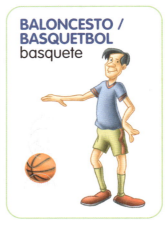

ESQUÍ ACUÁTICO
esqui aquático

CARRERA DE AUTOS
corrida de carro

TO DRIBBLE
driblar

ESQUÍ ALPINO
esquiar

CICLISMO
ciclismo

TROFEO
troféu

PELOTA DE FÚTBOL
bola de futebol

PELOTA DE TENIS
bola de tênis

BALONISMO
balonismo

ALPINISMO
alpinismo

CHUTEAR
chutar

RAQUETA
raquete

CESTA / CESTO
cesta de basquete

CANCHA DE FÚTBOL
campo de futebol

34 TREINTA Y CUATRO

DEPORTES esportes

FÚTBOL futebol

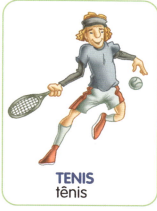
TENIS tênis

SURF surfe

HALTEROFILIA halterofilismo

JUGADOR jogador

PATINACIÓN patinação

GIMNASIA OLÍMPICA ginástica olímpica

ENTRENADOR treinador

GOLF golfe

NATACIÓN natação

PARACAÍDISMO paraquedismo

BUCEO mergulho com equipamentos

VOLEIBOL voleibol

VENCEDOR vencedor(a)

GIMNASIA ginástica

TREINTA Y CINCO **35**

DE LOS CUENTOS INFANTILES contos infantis

REY rei **REINA** rainha

HADA fada

MONSTRUO monstro

BRUJA bruja

PRÍNCIPE príncipe

PRINCESA princesa

GENIO gênio

DRAGÓN dragão

FANTASMA fantasma

MÁGICO mágico

PIRATA pirata

CASTILLO castelo

LOBO Lobo Mau

FIN fim

TESORO tesouro

ESPADA espada

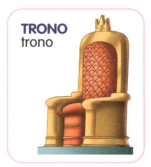

TRONO trono

36 TREINTA Y SEIS

DE LOS CUENTOS INFANTILES
contos infantis

LA SERENITA
A Pequena Sereia

PINOCCHIO
Pinóquio

LA BELLA DURMIENTE
A Bela Adormecida

BLANCANIEVES
Branca de Neve

LA BELLA Y LA FIERA
A Bela e a Fera

CAPERUCITA ROJA
Chapeuzinho Vermelho

LOS TRES CERDITOS
Os Três Porquinhos

CENICIENTA
Cinderela

LOS SIETE ENANITOS
Os Sete Anões

HANSEL Y GRETEL
Joãozinho e Maria

MAGO
bruxo / feiticeiro

BAMBI
Bambi

MANZANA ENVENENADA
maçã envenenada

VARITA MÁGICA
varinha mágica

BOLA DE CRISTAL
bola de cristal

CORONA
coroa

ERA UNA VEZ...
Era uma vez...

TREINTA Y SIETE **37**

LOS ANIMALES animais

BURRO
burro

PERRO
cachorro

BALLENA
baleia

CAMELLO
camelo / dromedário

CABALLITO DE MAR
cavalo-marinho

CABALLO
cavalo

CANGURO
canguru

ELEFANTE
elefante

CAMARÓN
camarão

CANGREJO
caranguejo

FOCA
foca

COCODRILO
crocodilo

BUHO / LECHUZA
coruja

HORMIGA
formiga

ARAÑA
aranha

MARIPOSA
borboleta

ABEJA
abelha

CULEBRA
cobra

ESQUILO
esquilo

GALLO
galo

GALLINA
galinha

LOS ANIMALES animais

GATO
gato

TIGRE
tigre

MONO
macaco

OSO
urso

JIRAFA
girafa

LEÓN
leão

LEOPARDO
leopardo

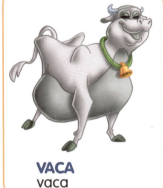
VACA
vaca

CEBRA
zebra

HIPOPÓTAMO
hipopótamo

OVEJA
ovelha

CERDO
porco

ZORRILLO
raposa

RINOCERONTE
rinoceronte

MOSCA
mosca

PÁJARO
pássaro

SAPO
sapo

DELFIN
golfinho

PEZ
peixe

LORO
papagaio

PINGUINO
pinguim

TIBURÓN
tubarão

TREINTA Y NUEVE **39**

ESTACIONES DEL AÑO
estações do ano

VERANO
verão

INVIERNO
inverno

OTOÑO
outono

PRIMAVERA
primavera

PERIODOS DE TIEMPO
períodos do tempo

MAÑANA
manhã

TARDECITA
tardinha / anoitecer

TARDE
tarde

NOCHE
noite

AYER
ontem

HOY
hoje

MAÑANA
amanhã

CONDICIONES DEL TIEMPO
condições do tempo

LLUVIOSO
chuvoso

NUBLADO
nublado

NEVADO
nevado

SOLEADO
ensolarado

VENTOSO
ventoso

SOL
sol
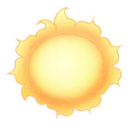

BRUMOSO
neblinoso

HOMBRE DE LAS NIEVES
boneco de neve

LLUVIA
chuva

LUZ DEL SOL / RAYO DE SOL
luz solar / raio solar

PARAGUAS
guarda-chuva

CAPA DE LLUVIA / IMPERMEABLE
capa de chuva

NUBE
nuvem

TEMPESTAD
tempestade

CIELO
céu

ARCO-ÍRIS
arco-íris

SOMBRILLA
guarda-sol

ARENA
areia

COPOS DE NIEVE
flocos de neve

PELOTA DE NIEVE
bola de neve

TRUENO
trovão

RELÁMPAGO
relâmpago

CUARENTA Y UNO

EL TIEMPO tempo

MESES DEL AÑO
meses do ano

- **ENERO** - janeiro
- **FEBRERO** - fevereiro
- **MARZO** - março
- **ABRIL** - abril
- **MAYO** - maio
- **JUNIO** - junho
- **JULIO** - julho
- **AGOSTO** - agosto
- **SEPTIEMBRE** - setembro
- **OCTUBRE** - outubro
- **NOVIEMBRE** - novembro
- **DICIEMBRE** - dezembro

DÍAS DE LA SEMANA
dias da semana

- **DOMINGO** - domingo
- **LUNES** - segunda-feira
- **MARTES** - terça-feira
- **MIÉRCOLES** - quarta-feira
- **JUEVES** - quinta-feira
- **VIERNES** - sexta-feira
- **SÁBADO** - sábado

AÑO ano
MES mês
SEMANA semana
DÍA dia

SEGUNDO segundo
HORA hora
MINUTO minuto
DESPERTADOR despertador

¿QUÉ HORA ES?
Que horas são?

SON LAS DOS Y MEDIA
São duas e meia

SON LAS OCHO VEINTE
São oito e vinte

SON UN CUARTO PARA LAS CINCO / SON LAS CINCO MENOS UN CUARTO
São quinze para as cinco

ES MEDIANOCHE É meia-noite
ES MEDIODÍA É meio-dia

SON LAS SIETE
São sete horas

SON LAS TRES UN CUARTO
São três e quinze

42 CUARENTA Y DOS

DIRECCIONES direções

Norte N
norte

Leste
leste

Oeste
oeste

Sur
sul

LA LUNA Y SUS FACES
a lua e suas fases

CRECIENTE
lua crescente

LLENA
lua cheia

NUEVA
lua nova

MENGUANTE
lua minguante

LOS SIGNOS DEL ZODIACO
os signos do zodíaco

ARIES
áries

LIBRA
libra

VIRGO
virgem

SAGITARIO
sagitário

GÉMINIS
gêmeos

CANCER
câncer

LEO
leão

TAURO
touro

ACUARIO
aquário

CAPRICORNIO
capricórnio

PISCIS
peixes

ESCORPIO
escorpião

CUARENTA Y TRES **43**

EL UNIVERSO   o universo

SISTEMA SOLAR sistema solar
GALAXIA galáxia
ESPACIO SIDERAL espaço sideral

NEPTUNO Netuno
URANIO Urano
ASTRONAUTA astronauta
SATURNO Saturno
JÚPITER Júpiter
MARTE Marte
SOL Sol
TIERRA Terra
VENUS Vênus
MERCURIO Mercúrio

44 CUARENTA Y CUATRO

EL UNIVERSO o universo

CRÁTER
cratera

ESTRELLA FUGAZ
estrela cadente

CONSTELACIÓN
constelação

COMETA
cometa
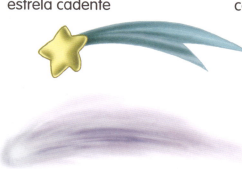

NAVE ESPACIAL
nave espacial

METEORO
meteoro

PLANETA
planeta

LUNA
lua

NAVE ALIENÍGENA / PLATILLO VOLADOR
nave alienígena

ROCKET
foguete

ÓMNIBUS ESPACIAL
ônibus espacial

ESTRELLA
estrela

SATÉLITE
satélite

SONDA ESPACIAL
sonda espacial

TELESCOPIO ESPACIAL
telescópio espacial

EXTRATERRESTRE
extraterrestre

CUARENTA Y CINCO

CONTINENTES continentes

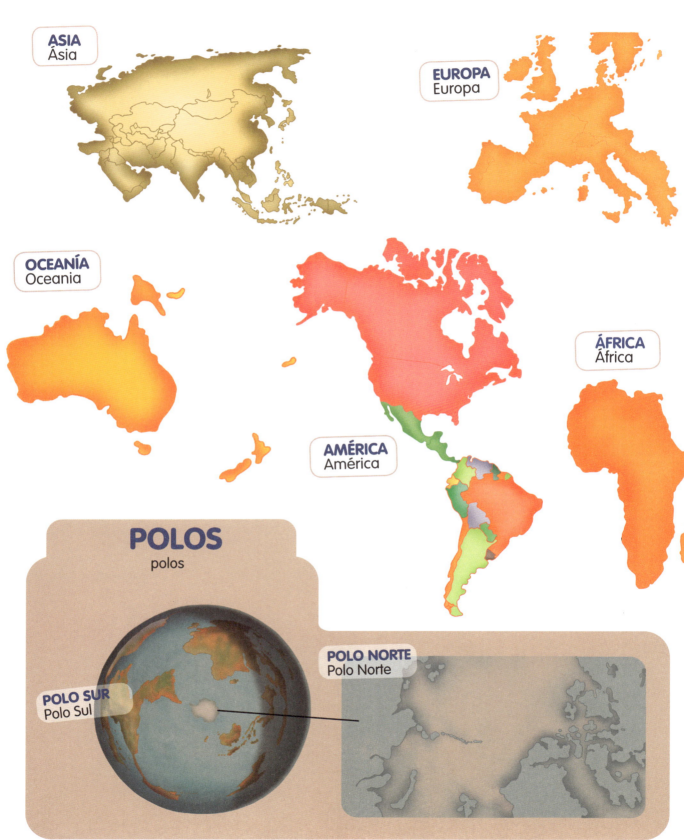

ALGUNOS PAÍSES alguns países

NACIONALIDADES nacionalidades

ALEMÁN (ALEMANA)
alemã / alemão

ARGENTINO(A)
argentino(a)

AUSTRALIANO(A)
australiano(a)

EGIPCIA(O)
egípcia(o)

BRASILEÑO(A)
brasileira(o)

CANADIENSE
canadense

CHINO
chinês / chinesa

ESPAÑOL(A)
espanhol(a)

BOLIVIANO(A)
boliviana(o)

INDIANA(O)
indiana(o)

SUIZO
suíço(a)

FRANCÉS / FRANCESA
francês / francesa

INGLESA
inglesa / inglês

MEXICANO
mexicano(a)

48 CUARENTA Y OCHO

NACIONALIDADES nacionalidades

ITALIANO(A)
italiano(a)

JAPONESA
japonesa / japonês

NEOZELANDÉS(A)
neozelandês / neozelandesa

AMERICANA(O)
americana(o)

NORUEGO(A)
norueguesa / norueguês

PERUANA(O)
peruana(o)

PORTUGUÉS
português / portuguesa

SUECO
sueco(a)

ESQUIMAL
esquimó

IGLÚ
iglu

CHOZA
oca / tenda / cabana

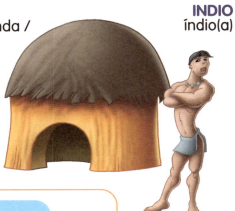

INDIO
índio(a)

PERSONA PERDIDA (NAUFRAGO)
pessoa perdida (náufrago)

ISLA
ilha

CUARENTA Y NUEVE **49**

FECHAS IMPORTANTES datas importantes

CARNAVAL
carnaval

PASCUA DEL CONEJO
páscoa

DÍA DEL INDIO
dia do índio

DÍA DE LA BANDERA
dia da bandeira

DÍA DEL TRABAJO
dia do trabalho

DÍA DE LA MADRE
dia das mães

DÍA DEL NIÑO
dia das crianças

DÍA DE SAN VALENTÍN
dia dos namorados

PROCLAMACIÓN DE LA REPÚBLICA DE BRASIL
proclamação da República (Brasil)

INDEPENDENCIA DE BRASIL
dia da independência (Brasil)

NAVIDAD
Natal

DÍA DEL PADRE
dia dos pais

AÑO NUEVO
ano-novo

FECHAS IMPORTANTES
datas importantes

NACIMIENTO - nascimento
PRIMER DÍA DE CLASES - primeiro dia de aula
PRIMER EMPLEO - primeiro emprego

REUNIÓN DE FAMILIA
reunião de família

MATRIMONIO / BODA
casamento

LICENCIATURA
formatura

CEREMONIA DE MATRIMONIO
cerimônia de casamento

BUENOS MOMENTOS
bons momentos

LEER UN LIBRO INTERESANTE
ler um livro interessante

BAÑARSE EN EL MAR
banho de mar

VIAJE DE VACACIONES
viagem de férias

ESCUCHAR MÚSICA
escutar música

FIESTA
festa

UN BESO
um beijo

UN ABRAZO
um abraço

BAÑARSE EN LA LLUVIA
tomar um banho de chuva

CHARLA CON AMIGOS
bater papo com amigos

SALUDAR A UN AMIGO
cumprimentar um amigo

MATERIALES DE ARTE
materiais de arte

COLORES cores

- **BLANCO** branco
- **GRIS** cinza
- **NEGRO** preto
- **MARRÓN** marrom
- **AMARILLO** amarelo
- **NARANJA** laranja
- **ROJO** vermelho
- **ROSA / ROSADO** cor-de-rosa
- **MORADO** roxo
- **VIOLETA** violeta
- **AZUL OSCURO** azul-escuro
- **CELESTE** azul-claro
- **VERDE OSCURO** verde-escuro
- **VERDE CLARO** verde-claro

ACUARELA paleta

CABALLETE cavalete

CUADRO quadro

BALDE DE PINTURA balde de tinta

PALETA aquarela

TINTA / PINTURA tinta

PINCEL pincel

PINTOR DE PARED pintor de parede

EXPOSICIÓN DE CUADROS exposição de arte
PINTOR pintor

52 CINCUENTA Y DOS

FORMAS GEOMÉTRICAS formas geométricas

 **TRIÁNGULO** triângulo

 **RECTÁNGULO** retângulo

 CUADRADO quadrado

 **CÍRCULO** círculo

 **OVAL** oval

 **PENTÁGONO** pentágono

 HEXÁGONO hexágono

 **HEPTÁGONO** heptágono

 **OCTÁGONO** octógono

 **NONÁGONO** nonágono

DECÁGONO decágono

ESFERA esfera

CUBO cubo

PIRÁMIDE pirâmide

CILINDRO cilindro

SÍMBOLOS MATEMÁTICOS
símbolos matemáticos

 IGUAL sinal de igualdade

 MÁS sinal de adição

 DE DIVISIÓN sinal de divisão

 MENOS sinal de subtração

 PORCENTAJE porcentagem

 **RESULTADO** resultado

 RAÍZ CUADRADA raiz quadrada

 NÚMERO número

DE MULTIPLICACIÓN multiplicação (sinal de vezes)

NOTAS - notas

INSUFICIENTE insuficiente

REGULAR regular

BUENO bom

MUY BUENO muito bom

EXCELENTE excelente

CINCUENTA Y TRES **53**

MÚSICA música

INSTRUMENTOS MUSICALES
instrumentos musicais

MÚSICO
músico

VOZ
voz

CANTOR
cantor

MICRÓFONO
microfone

NOTAS MUSICALES
notas musicais

PÚBLICO
público / plateia

BANDA
banda

CONCIERTO
concerto

54 CINCUENTA Y CUATRO

EXPRESIONES PARA MEMORIZAR
expressões para saber de cor

SALUDOS Y PALABRAS POLITAS
cumprimentos e palavras de educação

COMO PRESENTARSE
como se apresentar

MI NOMBRE ES / ME LLAMO...
meu nome é...

HOLA
olá / alô

HOLA
oi

NO não **SÍ** sim

HASTA LUEGO
até logo

ADIÓS
adeus

NOS VEMOS MÁS TARDE
vejo você mais tarde

PERDÓN
desculpe

POR NADA
de nada

CON PERMISO
com licença

GRACIAS
obrigado(a)

BUENOS DÍAS
bom dia

BUENAS TARDES
boa tarde

BUENAS NOCHES
boa noite (usado à noitinha ao chegar)

BUENAS NOCHES
boa noite (ao ir embora)

CINCUENTA Y CINCO **55**

GRAMÁTICA gramática

PRONOMBRES PERSONALES
pronomes pessoais

SINGULAR singular

- YO — eu
- TÚ — você, tu
- ÉL — ele
- ELLA — ela
- USTED — O Sr. / A Sra.

PLURAL plural

- NOSOTROS — nós
- ELLOS O ELLAS — eles ou elas
- USTEDES / VOSOTROS — vocês

VERBO SER / ESTAR
verbo ser / estar

TIEMPO PRESENTE presente

- YO SOY / ESTOY — eu sou / estou
- TÚ ERES / ESTÁS — você é / está
- ÉL ES / ESTÁ — ele é / está
- ELLA ES / ESTÁ — ela é / está
- USTED ES / ESTÁ — O Sr. / A Sra. / é / está
- NOSOTROS SOMOS / ESTAMOS — nós somos / estamos
- USTEDES SON / ESTÁN — vocês são / estão
- VOSOTROS SÓIS / ESTÁIS — vocês são / estão
- ELLOS (ELLAS) SON / ESTÁN — eles (elas) são / estão

ÉL ESTÁ NERVIOSO
Ele está nervoso.

YO SOY / ESTOY FELIZ
Eu sou feliz.

TÚ ERES ALTO
Você é alto.

ELLA ES BONITA
Ela é bonita.

ELLA ES MÁGICO
Ela é mágica.

56 CINCUENTA Y SEIS

GRAMÁTICA gramática

PRONOMBRES DEMOSTRATIVOS
pronomes demonstrativos

ESTE, ESTA (este, esta)
É usado junto a nomes de pessoas ou objetos que estejam perto de quem fala.

EXEMPLO
Esta es mi varita mágica.
Esta é minha varinha mágica.

(estes, estas) ESTOS, ESTAS
É o plural de este /esta.

ESE, ESA (esse, essa)
É usado junto a nomes de pessoas ou objetos que estejam longe de quem fala e perto de quem escuta.

EXEMPLO
Estos son mis hermanos.
Estes são meus irmãos.

EXEMPLO
Ese es mi auto.
Esse é o meu carro.

AQUEL, AQUELLA
(aquilo, aquele, aquela)
É usado junto a nomes de pessoas, animais, plantas ou objetos que estejam longe de quem fala.

EXEMPLO
Aquel es mi castillo.
Aquele é meu castelo.

EXEMPLO
Aquellos son mis libros.
Aqueles são meus livros de histórias.

AQUELLOS, AQUELLAS
(aqueles, aquelas)
É o plural de "aqueles, aquelas".

PRONOMES DEMOSTRATIVOS NEUTROS

ESTO, ESO, AQUELLO (isto, isso, aquilo)
São usados quando se quer apenas demonstrar e não é citado o nome de uma pessoa ou de um objeto (SUBSTANTIVO).

EXEMPLO
Ele quer aquilo que está longe.
Él quiere aquello que está lejos.

CINCUENTA Y SIETE 57

GRAMÁTICA gramática

ADJETIVOS Y PRONOMBRES POSESIVOS
pronomes possessivos

MI / MIS (ADJETIVOS)
meu, minha, meus, minhas

MÍO / MÍOS, MÍA / MÍAS (PRONOMBRES)
meu, minha, meus, minhas

SU/SUS (ADJETIVOS)
seu, sua, seus, suas

SUYO/SUYOS, SUYA/SUYAS (PRONOMBRES)
seu, sua, seus, suas

DE ÉL (DEL HOMBRE)
dele (de homem)

DE ELLA (DE LA MUJER)
dela (de mulher)

NUESTRO / NUESTROS, NUESTRA / NUESTRAS
nosso, nossa, nossos, nossas

DE ELLOS, DE ELLAS / SU(S) / SUYO(S) / SUYA(S)
deles, delas

- mi coche, mi hermana
- tus zapatos, tus amigos
- su auto, sus camisas
- su libro, su familia
- su nombre, su casa
- nuestra casa, nuestro maestro
- su padre, su hermano

ÉL ES SU PADRE. Ele é seu pai.
BORIS ES NUESTRO GATO. Boris é nosso gato.
TU MADRE ES INTELIGENTE. Sua mãe é inteligente.
AL PERRO LE GUSTA SU HUESO. O cão gosta do seu osso.

EL CASO POSESIVO
o caso possessivo

Em espanhol há dois tipos de possesivos: os ADJETIVOS, que se usam antes do substantivo e os PRONOMES, que são usados após os substantivos.

ESTE ES MI COCHE. Este é meu carro.
ESTE COCHE ES MÍO. Este carro é meu.
AQUELLA ES LA PELOTA DE LOS NIÑOS. Aquela é a bola dos meninos.
AQUEL ES EL CUARTO DE LAS NIÑAS. Aquele é o quarto das meninas.
ESTE ES EL GORRO DE LUCAS. Este é o chapéu de Lucas.

GRAMÁTICA gramática

ARTÍCULO
os artigos

LO: Em espanhol existe um artigo neutro "LO" que antecede coisas que não podemos tocar (que não são substantivos):

EL, LOS, LA, LAS

EXEMPLO

Lo barato "cuesta" caro.
O barato "custa" caro.

ARTÍCULOS INDEFINIDOS
artigos indefinidos

UN / UNA - Os artigos indefinidos são usados quando nos referimos a algo em geral, não especificado.
Un (singular – masculino) e Una (singular – feminino).

UNOS / UNAS - é o plural sendo:
Unos (plural – masculino) e Unas (plural – feminino).

ESTE ES UN GLOBO.
Isto é um balão.

EJEMPLOS
exemplos

UN LIBRO um livro
UNOS LIBROS uns livros
UN AMIGO um amigo
UNOS AMIGOS uns amigos
UN HOMBRE um homem
UNOS HOMBRES uns homens

UNA MUJER uma mulher
UNAS MUJERES umas mulheres
UNA MANZANA uma maçã
UNAS MANZANAS umas maçãs
UNA HOJA uma folha
UNAS HOJAS umas folhas

MI MADRE ES UNA INGENIERA. Minha mãe é uma engenheira.
PEDRO ES UN NIÑO. Pedro é um menino.
AQUELLA ES UNA NARANJA. Aquela é uma laranja.

CINCUENTA Y NUEVE

GRAMÁTICA
gramática

FORMA INTERROGATIVA
forma interrogativa

TIEMPO PRESENTE
presente

¿YO SOY? eu sou?
¿TÚ ERES? você é?
¿ÉL ES? ele é?
¿ELLA ES? ela é?
¿USTED ES? o senhor/a senhora é?
¿NOSOTROS SOMOS? nós somos?
¿USTEDES SON? vocês/os senhores/as senhoras são?
¿ELLOS / ELLAS SON? eles/elas são?

Observe que em espanhol o uso do sinal de interrogação ao contrário no início da pergunta é obrigatório.
A função dele é saber onde se deve começar a usar a entonação característica da pergunta.

¿ÉL ES PROFESOR? Ele é professor?
¿ES TU AUTO? É seu carro?
¿ESTÁ BIEN? Você está bem?

PREGUNTANDO LA EDAD
perguntando a idade

Observe que não se usa o verbo "HACER" (FAZER) quando se fala em completar anos e sim o verbo "CUMPLIR".

EJEMPLOS
exemplos

¿CUÁNTOS AÑOS TIENES?

YO TENGO NUEVE AÑOS.

Juanito: ¿CUÁNTOS AÑOS TIENES?
Quantos anos você tem?
Ana: YO TENGO NUEVE AÑOS. ¿Y TÚ?
Eu tenho nove anos. E você?
Juanito: YO VOY A CUMPLIR DIEZ.
Eu vou fazer dez.

60 SESENTA

GRAMÁTICA gramática

ALGUNAS PALABRAS INTERROGATIVAS
algumas palavras interrogativas

 CÓMO

¿**CÓMO** TE VA? <u>Como</u> vai você?
A MÍ BIEN. ¿Y A TI? Eu estou bem. E você?
A MÍ ME VA MUY BIEN, GRACIAS.
Eu estou muito bem, obrigado.

DÓNDE

¿**DÓNDE** QUEDA TU CASA?
<u>Onde</u> fica sua casa?

CUÁNDO

¿**CUÁNDO** ES SU CUMPLEAÑOS?
<u>Quando</u> é seu aniversário?

POR QUÉ

¿**POR QUÉ** ESTÁS EN LA ESCUELA?
<u>Por que</u> você está na escola?

PORQUE SOY UN ESTUDIANTE.
<u>Porque</u> eu sou um estudante.

CUÁNTOS pergunta sobre preços, intensidade e quantidade.

¿**CUÁNTO** CUESTA ESTE LIBRO?
<u>Quanto</u> custa este livro?

¿**CUÁNTOS** PERROS HAY AQUÍ? <u>Quantos</u> cães tem aqui?

SESENTA Y UNO **61**

GRAMÁTICA gramática

NUMERALES
numerais

1 uno
2 dos
3 tres
4 cuatro
5 cinco
6 seis
7 siete
8 ocho
9 nueve
10 diez

11 once	25 veinticinco	38 treinta y ocho
12 doce	26 veintiseis	39 treinta y nueve
13 trece	27 veintisiete	40 cuarenta
14 catorce	28 veintiocho	41 cuarenta y uno
15 quince	29 vientenueve	42 cuarenta y dos
16 dieciseis	30 treinta	43 cuarenta y tres
17 diecisiete	31 treinta y uno	44 cuarenta y cuatro
18 dieciecho	32 treinta y dos	45 cuarenta y cinco
19 diecinueve	33 treinta y tres	46 cuarenta y seis
20 veinte	34 treinta y cuatro	47 cuarenta y siete
21 veinteuno	35 treinta y cinco	48 cuarenta y ocho
22 veintidós	36 treinta y seis	49 cuarenta y nueve
23 veintitres	37 treinta y siete	50 cincuenta
24 veinticuatro		

10 diez

20 veinte

30 treinta

40 cuarenta

50 cincuenta

60 sesenta

70 setenta

80 ochenta

90 noventa

100 cien

62 SESENTA Y DOS

GRAMÁTICA gramática

PREGUNTANDO LA HORA
perguntando as horas

¿QUÉ HORA ES?

SON LAS DIEZ DE LA MAÑANA.

¿QUÉ HORA ES?
Que horas são?
SON LAS DIEZ DE LA MAÑANA.
São 10 horas.

Em espanhol, costuma-se utilizar o relógio dividido em doze horas e acrescenta-se:

MAÑANA, TARDE, NOCHE

para identificar a que período do dia aquela hora se refere.

EJEMPLOS exemplos

ES LA UNA DE LA TARDE. São 13:00 horas. São treze horas.
ES LA UNA DE LA MAÑANA. É 01:00 hora. É uma hora.
SON LAS OCHO DE LA NOCHE. São 20:00 horas. São vinte horas.
SON LAS OCHO DE LA MAÑANA. São 08:00 horas. São oito horas.
SON VEINTE PARA LAS DOCE / SON LAS DOCE MENOS VEINTE DE LA MAÑANA.
São 11h40min. São onze e quarenta.
SON LAS CINCO Y UN CUARTO DE LA MAÑANA. São 5h15min. São cinco e quinze.
SON LAS CINCO MENOS UN CUARTO DE LA MAÑANA. São 4h45min. São quinze para as cinco ou são quatro e quarenta e cinco.

SESENTA Y TRES 63

¡VAMOS A CANTAR! ¡vamos cantar!

FELIZ CUMPLEAÑOS

CUMPLEAÑOS FELIZ,
TE DESEAMOS A TI,
CUMPLEAÑOS
(NOMBRE DEL HOMENAJEADO),
QUE LOS CUMPLAS FELIZ.

Feliz Aniversário

*Feliz aniversário pra você,
Feliz aniversário pra você,
Feliz aniversário, querido(a) ...
(aqui você diz o nome do aniversariante)
Feliz aniversário pra você!*

VOCÊ CONHECE ASSIM:

Parabéns pra você

Parabéns pra você,
Nesta data querida,
Muitas felicidades,
Muitos anos de vida!

VOCÊ CONHECE ASSIM:

Irmão Jacques

Irmão Jacques,
Irmão Jacques,
Estás dormindo?
Estás dormindo?

Os sinos já tocam
Todos eles tocam
Ding, ding, dong,
Ding, ding, dong.

FRÈRE JACQUES

(FRAY JACOBO)

FRAY JACOBO, FRAY JACABO,
DUERME USTED? DUERME USTED?
SUENAN LAS CAMPANAS,
SUENAN LAS CAMPANAS
DIN, DAN, DONG. DIN, DAN, DONG.

Você está dormindo?
Você está dormindo, você está dormindo,
Irmãozinho, irmãozinho?
Sinos da manhã estão soando
Sinos da manhã estão soando.
Din, den, don, din, den, don.

OH! SUSANNA

OH! SUSANA
ÉL VIAJO DESDE ALABAMA
CON SU FANGIO TAN FELIZ DESDE AHÍ
SE FUE A LUISIANA SU AMORCITO ESTABA AHÍ
HUBO LLUVIA EN EL CAMINO PERO A ÉL NO LE IMPORTO
CAMINABA NOCHE Y DÍA Y CANTABA ESTA CANCIÓN:
OH, SUSANA NO LLORES MAS POR MI,
VIAJARE DESDE ALABAMA CON MI BANGIO PARA TI.

VOCÊ CONHECE ASSIM:

Oh! Susanna

Eu vim do Alabama
Com meu banjo pra tocar
Eu vou pra Louisiana
Pra ver meu amor dançar

Oh, Susanna,
Não chores por mim
Eu vim do Alabama
Pra tocar meu banjo assim.

© TODOLIVRO LTDA.

Rodovia Jorge Lacerda, 5086 - Poço Grande
Gaspar - SC | CEP 89115-100

Ilustração:
©Belli Studio

Texto:
Paulina Gajardo

IMPRESSO NA CHINA
www.todolivro.com.br

Dados Internacionais de Catalogação na Publicação (CIP)
(Câmara Brasileira do Livro, SP, Brasil)

Gajardo, Paulina
Minhas primeiras 1000 Palavras em Espanhol /
Paulina Gajardo ; [ilustração: Belli Studio].
Gaspar, SC: Todolivro Editora, 2024.

ISBN 978-85-376-0542-4

1. Espanhol (Educação infantil) I. Belli Studio.
II. Título.

07-8954   CDD-372.21

Índices para catálogo sistemático:

1. Espanhol: Educação infantil 372.21